Fábulas
de Mayor a menor

Versiones de **Cecilia Blanco** ✦ *Ilustraciones de* **Chanti**

Blanco, Cecilia
Fábulas de Mayor a menor 1 / Cecilia Blanco ; ilustrado por Chanti. -
1a ed. - Buenos Aires : Uranito Editores, 2012.
48 p. : il. ; 20x28 cm. - (Fábulas de Mayor a menor)

ISBN 978-987-1831-18-0

1. Literatura Infantil Argentina. I. Chanti, ilus. II. Título
CDD A863.928 2

Edición: Anabel Jurado
Diseño: Carlos Bazerque
Ilustración: Chanti

© 2011 *by* Cecilia Blanco y Chanti
© 2011 *by* EDICIONES URANO S.A. - Argentina
Paracas 59 - C1275AFA - Ciudad de Buenos Aires
info@uranitolibros.com.ar / www.uranitolibros.com.ar

1a. edición

ISBN 978-987-1831-18-0
Queda hecho el depósito que establece la Ley 11.723

Impreso en Gráfica Pinter
Diógenes Taborda 48 - CABA
Abril de 2012

Impreso en Argentina. *Printed in Argentina*

Índice

La liebre
y la tortuga

Una mañana, la tortuga iba caminando despacio –tic, tic, tic, tic–, cuando la liebre se le apareció de golpe y, con un sonrisa burlona, la saludó:

BUENOS DÍAS, DOÑA TORTUGA. ¿ADÓNDE VA?

–Vuelvo a mi casa –dijo la tortuga.

–Entonces, apúrese, que se le va a hacer de noche.

–No vaya a creer que soy tan lenta...

–Con esas patitas cortas no creo que pueda hacer mucho. En cambio, yo... –Y la liebre dio vueltas a su alrededor, tan rápido que a la tortuga le pareció estar en medio de un remolino.

–Es usted muy ligera, la felicito –dijo humildemente la tortuga–, pero yo también tengo lo mío. ¿No quiere que juguemos una carrera?

–¿Una quééé? ¡Ja, ja, ja! No me haga reír que se me arrugan los bigotes.

–¿Qué? ¿No se anima?

–¡Por supuesto que sí!

Y así fue como la liebre y la tortuga buscaron a la zorra para que fuera jueza de la carrera.

7

Al día siguiente, todos los animales se reunieron. Algunos bajo el cartel de partida; otros, en el de llegada. Nadie se quería perder semejante acontecimiento.

Entre gritos y vivas, la primera en llegar fue la liebre. Venía con un pañuelito al cuello y una sonrisa ancha, dando saltitos y tirándole besos al público.

Al rato llegó la tortuga, caminando despacio –tic, tic, tic, tic–, con una gorrita y un poco de nervios. También la ovacionaron.

Cuando estuvieron las dos en la línea de largada, la zorra dio el aviso:

–Preparados, listos... ¡ya!

La liebre salió tan pero tan rápido que dejó una estela de tierra en el camino. La tortuga, en cambio, caminaba tan despacio –tic, tic, tic, tic– que no movía ni siquiera un granito de polvo a su paso.

A los pocos minutos de correr, la liebre se detuvo y dio media vuelta. Ni rastros de la tortuga. "¡Ganarle a esa será zanahoria comida!", se dijo. Estaba a punto de seguir, cuando vio un algarrobo al costado del camino. "Me tiro un ratito y después sigo, total, tengo tiempo de sobra", pensó. Y se quedó dormida debajo del árbol.

Mientras tanto, la tortuga, toda transpirada por el esfuerzo, seguía la marcha: tic, tic, tic, tic. Bajo el sol abrasador del mediodía pasó por al lado del algarrobo, tan concentrada mirando hacia delante que no notó que la liebre estaba durmiendo allí.

Un par de horas después, la liebre se despertó.

–¿Dónde estoy? ¿Qué tenía que...? ¡La carrera! –recordó, y de un salto volvió al camino.

Corrió a toda velocidad y, como no veía por ningún lado a su contrincante, pensó: "Esa tortulenta debe estar todavía por allí atrás". Cuando divisó el cartel de llegada, se le dibujó una sonrisa ancha, pero se le fue borrando a medida que se acercaba a la meta.

Porque, en ese lugar, los animales ya estaban llevando en andas... ¡a la tortuga! Que caminando despacito –tic, tic, tic, tic– pero sin parar en ningún momento, había llegado primero.

La paloma
y la hormiga

En lo alto de un sauce, a orillas de un río, estaba una paloma observando a una hormiga que caminaba por el filo de una piedra. De pronto, la hormiga dio un paso en falso y ¡plaf! cayó al agua.

Nadie oía la vocecita mínima de la hormiga. Pero la paloma no dudó un instante: cortó una rama del sauce y voló rápida hacia el río. La dejó caer al agua y la hormiga se subió a ella, aferrándose con todas las patas. Pronto, la corriente la arrastró hacia la orilla.

"¿De dónde vino esta ramita salvadora?", se preguntó la hormiga, ya en tierra firme. Cuando miró hacia el sauce descubrió a la paloma, que levantó un ala en señal de saludo.

La hormiga se dispuso a volver al hormiguero, cuando vio escondido en un matorral a un cazador que apuntaba con su arma a la paloma.

–¡No lo voy a permitir! –gritó enfurecida, con su vocecita mínima.

El cazador no la oyó... pero pronto la sintió. Porque en un segundo la hormiga se le subió al pie y, como el hombre estaba en sandalias, le mordió con todas las fuerzas el dedo gordo.

–¡¡¡Aaaayyy!!! –gritó el cazador, arrojando el arma para tomarse el pie.

Y ese grito sí que fue fuerte. Tanto, que la paloma se asustó y remontó vuelo.

Mientras se alejaba, en una margarita vio parada a la hormiga, que la saludaba con una patita en alto.

TOBI,
NO TE HAGAS
EL OSO Y
SENTATE...
¡GROARRR!
POR LAS
DUDAS ME HAGO
EL MUERTO

Los dos amigos y el oso

*D*os viejos amigos se encontraron por casualidad en la calle. Habían sido compañeros de viaje varias veces y se divertían mucho cuando estaban juntos. Por eso, luego de darse un cálido abrazo, uno le dijo al otro:

A la mañana siguiente, los dos hombres emprendieron la marcha. Caminaron varias horas por el bosque, charlando de sus cosas, recordando anécdotas, riéndose como buenos camaradas. Al mediodía, se detuvieron en un claro para almorzar.

–Amigo, ¿vamos a armar un fuego para hacer sopa?

–¡Buena idea! Voy por la leña.

Mientras el hombre estaba distraído juntando ramas caídas, el otro vio entre los árboles un bulto oscuro que se movía lentamente en dirección a ellos. "¡Es un oso! –se dijo horrorizado–, ¿qué hago?".

Y sin alertar del peligro a su compañero, pensando solo en salvarse, se levantó silenciosamente y trepó al árbol más cercano.

El otro hombre, agachado juntando leña, recién se dio cuenta de la presencia del oso cuando el animal estaba a pocos metros. "¡Es un oso! -se dijo horrorizado-, ¿qué hago?". Lo único a lo que atinó fue a tirarse en el suelo y quedarse quieto, quietísimo, haciéndose el muerto.

El oso llegó al claro, gruñendo y mostrando los dientes amarillos. El hombre, tendido en el suelo y con los ojos cerrados, tenía un miedo espantoso: escuchaba el crujir de las hojas por las pisadas y, luego, los resoplidos del oso junto a él. Dominando sus nervios, no movía ni un músculo y aguantaba la respiración, porque sabía que los osos eran cazadores y mataban a sus presas, pero nunca se alimentaban de animales muertos.

El oso lo olió por todos lados, de los pies a la cabeza. El hombre sintió la nariz húmeda del animal en su oreja. "¡Por Dios, que no me haga cosquillas!", pensaba desesperado. Pero, por suerte, el oso se convenció de que eso que estaba ahí tirado estaba bien pero bien muerto, y se fue.

Mientras tanto, el otro hombre miraba todo desde lo alto del pino al que se había subido. Cuando se aseguró de que el oso estaba muy lejos y ya no corría peligro, bajó del árbol y fue a buscar a su compañero.

–¡Amigo, de la que nos salvamos! –gritó eufórico, mientras lo abrazaba.

El otro no dijo nada.

–¡Qué buen truco ese de hacerte pasar por muerto! –lo palmeó en el hombro–. ¡Ja, ja, estuviste genial, amigo!

El otro seguía sin hablar.

–Amigo, me pareció que el oso te habló al oído... ¿Qué fue lo que te dijo?

Y el otro le contestó:

–¡Que la próxima vez elija mejor el compañero de viaje!

El león
y el burro

ierta vez el león le propuso al burro que lo ayudara a cazar. Mientras él se mantenía escondido, el otro tenía que rebuznar para asustar a los animales y que salieran corriendo.

El burro aceptó (ningún animal rechaza el pedido de un león, ya se imaginarán por qué), y los dos subieron a una colina. El león se escondió detrás de una gran piedra y su "socio" rebuznó con todas las fuerzas:

¡iiiiiooooo! ¡iiiiiooooo!

28

Liebres, comadrejas y cuises salieron corriendo al escuchar los gritos, y el león aprovechó para cazar a su gusto.

Así continuaron por varias horas, hasta que el león quedó con la panza llena y el corazón contento. Mientras descansaba a la sombra, el burro se le acercó con una sonrisita.

–Qué buen equipo formamos, ¿no? –le dijo.

–Mmmmsé –le respondió el león, indiferente, escarbándose los dientes con una uña.

–Y qué vozarrón tengo, ¿no?

–Mmmmsé.

–Mi mamá siempre me lo decía, me tendría que haber dedicado al canto lírico, con esta voz, con esta presencia escénica, con este estilo tan particular que tengo. Creo que en cualquier momento me van a contratar para ir de gira por los pueblos...

–¡Ja, ja, ja, ja, ja! –lo interrumpió el león, muerto de risa–. Sí, seguro, tu voz es impactante, jamás escuché nada igual. ¡Ja, ja, ja! Por suerte te conozco, que si no yo también hubiese corrido espantado, ¡ja, ja, ja!

El burro, ofendido, se fue refunfuñando bajito.

MORALEJA:
EL FANFARRÓN DESLUMBRA
A LOS QUE NO LO CONOCEN
Y HACE REÍR
A LOS QUE LO CONOCEN

YO LO CONOZCO
PERO NO ME HACE
REÍR...
¡ESTÁ BUENÍSIMO
EL TRAJE DE
SUPERNACHO!

El ratón de la corte y el ratón del campo

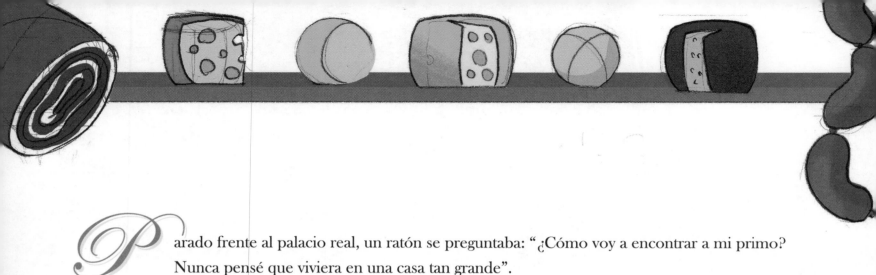

Parado frente al palacio real, un ratón se preguntaba: "¿Cómo voy a encontrar a mi primo? Nunca pensé que viviera en una casa tan grande".

–Pst, pst, ¡aquí! –lo llamó su primo, asomándose por una grieta en la pared de piedra.

Los ratones se saludaron con un largo abrazo y se metieron en el agujero. Caminaron por un pasillo estrecho y oscuro que terminaba en una habitación. Primero salió el ratón de la corte, seguido de su primo, que, no bien asomó la cabeza, exclamó:

El ratón del campo no podía creer lo que veía porque estaban en la despensa del palacio, el lugar donde se guarda la comida para los reyes, príncipes y cortesanos, ¡imagínense! Jamones colgando del techo, quesos enormes secándose en los estantes, barricas llenas de aceitunas, canastos con verduras, panes, galletas, torrejas, almejas... ¡de-to-do!

–Está usted en su casa, señor –le dijo el ratón de la corte a su primo, haciendo una reverencia–. ¡La comida está servida!

Y los dos corrieron por el piso lustroso. El ratón del campo subió al estante de los quesos. Estaba a punto de hincarle los dientes a uno bien oloroso, cuando escuchó que la puerta se abría.

–¡La cocinera! –gritó su primo–. ¡Escondámonos!

Y se metieron detrás de un armario.

Varios minutos pasaron allí, respirando agitados. Finalmente, la cocinera tomó algunas verduras y se fue. El ratón de la corte gritó:

–Ahora sí, ¡a llenarnos las panzas!

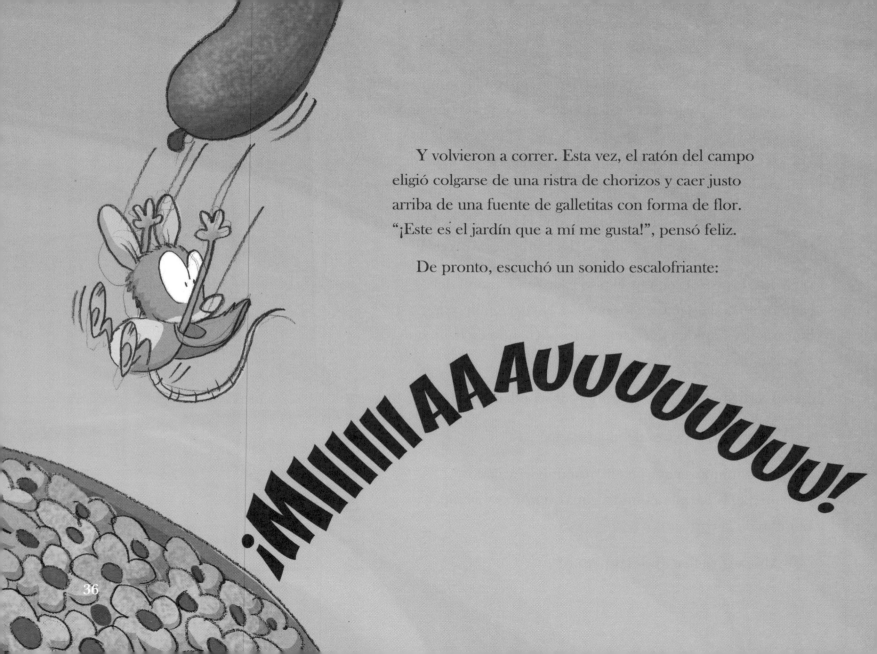

Y volvieron a correr. Esta vez, el ratón del campo eligió colgarse de una ristra de chorizos y caer justo arriba de una fuente de galletitas con forma de flor. "¡Este es el jardín que a mí me gusta!", pensó feliz.

De pronto, escuchó un sonido escalofriante:

¡MIIIIIIAAAUUUUUUUU!

Un gato gordo estaba entrando por la puerta entreabierta que había dejado la cocinera.

Esta vez, su primo no necesitó dar ninguna indicación. Los dos empezaron a correr, mientras el gato resbalaba en el piso lustroso, tratando de atraparlos.

Casi al mismo tiempo, los dos ratoncitos encontraron la grieta en la pared. El gato quiso meter la pata en el agujero, pero no pudo. Decepcionado por su cacería frustrada, se marchó.

Pasaron varios minutos de respiración agitada. Hasta que el ratón del palacio asomó el hocico. Como del gato no quedaba ni el olor, le dijo a su primo:

–Ahora sí, ¡los manjares nos esperan!

–¡No, no, no, no! –dijo el ratón del campo, terminante–. Yo ahí no vuelvo. Todo muy lindo, todo muy rico, pero me voy a casita. En mi cueva no habrá mucho para comer, algunas semillas, un tallito tierno de vez en cuando, pero en ese lugar yo estoy tranquilo y feliz.

–Como quieras –le contestó el otro, cabizbajo–. Entonces, te acompaño a la salida –y comenzó a caminar por el pasillo oscuro.

Al verlo tan triste, el ratón de campo le puso una pata en el hombro:

–Ey, primo, ¿no te gustaría venir conmigo?

MORALEJA:
ES PREFERIBLE UNA VIDA
POBRE Y EN PAZ,
QUE UNA VIDA RICA Y
RODEADA DE PELIGROS

¡HACE RATO
QUE SE LOS
VENGO
LADRANDO!

El gallo y el zorro

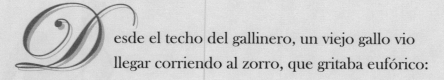 esde el techo del gallinero, un viejo gallo vio llegar corriendo al zorro, que gritaba eufórico:

–¡Buenas noticias! ¡Buenas noticias!

–¿Cuáles son las buenas nuevas? –le preguntó el gallo.

–¡Se terminó la guerra! ¿No se ha enterado?

–¿De qué guerra está hablando? –quiso saber el otro, porque sería viejo, pero estaba muy bien informado.

–La guerra entre los animales, por supuesto –mintió el zorro–. Ya no habrá más peleas, sangre, plumas volando, heridos y muertos.

¡LA PAZ REINA ENTRE NOSOTROS!

–Ah... la guerra... ¡qué suerte que al fin se acabó! –le siguió la corriente el gallo, porque además de viejo era muy astuto.

–Baje, baje, amigo, que la paz se sella con un abrazo.

–¿La paz se ensilla como un caballo? –preguntó el gallo, haciéndose el sordo.

–¡No! ¡Baje y nos damos un abrazo para festejar! ¡Baje ya! –lo apuró el zorro.

–¡Aaaah! –dijo el gallo, como entendiendo–. Claro que sí, ahí bajo. Espere un poquito, téngame paciencia, porque ando con un problemita en la pat... ¡Pero qué es lo que veo! –gritó señalando con el ala hacia el camino.

–¿Dónde, dónde? –preguntó el zorro, estirando el cuello pero sin lograr ver nada.

–¡Allá a lo lejos! Vienen dos sabuesos corriendo –mintió el gallo–. Se deben haber enterado de que terminó la guerra. ¡Qué bueno! ¡Ahora nos vamos a poder abrazar los cuatro!

–Eeeh... perdón, pero se me hace tarde, no puedo esperar –le dijo el zorro, nervioso–. Tengo que seguir difundiendo la noticia. ¡Adiós!

Y en un segundo, desapareció de su vista.

El gallo batió las alas, porque era viejo pero estaba en muy buen estado, y dio una sonora carcajada, que sonó como un quiquiriquí.

Mayor y menor

Mayor y menor son dos personajes de historieta que aparecen desde hace muchos años en la revista *Rumbos*. Como todos los hermanos, siempre están jugando, peleando, compitiendo o disfrutando juntos. Por eso, con Cecilia Blanco, nos pareció que sería divertido que estuvieran en estos libros de fábulas comentando y haciendo de las suyas.

Nacho es el mayor de los hermanos y es el que sabe leer. Es como un segundo padre para su hermano, aunque a veces se aprovecha de su posición y lo molesta.

Tobi es el menor y tiene admiración por su hermano mayor. A pesar de que es bastante inocente, con frecuencia hace cosas que saca de las casillas a Nacho.

También aparecen otros personajes: el padre, la madre, la amiga de Tobi, el abuelo, el tío y Peluche, la mascota de los chicos, que muchas veces no sabe dónde está parado o a qué le está ladrando.

Aproveché la frescura de Mayor y menor para quitarle un poco de esa rigidez aleccionadora que tienen las moralejas. Ellos acotan o les dan otro sentido, ¡lo mismo que harían los chicos!

Chanti

Las fábulas

Una fábula es una historia breve que al final tiene una enseñanza o "moraleja". Puede estar escrita en verso o en prosa, y la protagonizan animales, personas, seres imaginarios y hasta objetos que hablan.

En todo el mundo y desde las más remotas épocas existen las fábulas. De muchas no se conoce el origen, pero hay otras que sí tienen autor. Sin embargo, como son relatos populares que van pasando de boca en boca, siempre tienen modificaciones o adaptaciones.

Las fábulas que componen esta colección fueron creadas o recopiladas por escritores famosos: el griego Esopo, hace casi 3000 años; Gayo Julio Fedro, durante el Imperio romano; el francés Jean de La Fontaine, en el siglo XVII; y los españoles Tomás de Iriarte y Félix María Samaniego, en el siglo XVIII.

Luego de leer muchísimas fábulas de estos autores, elegí las que más me gustaron y escribí mi propia versión de ellas. Chanti –talentoso dibujante y gran amigo– hizo las ilustraciones. Después vino lo mejor, cuando llegaron Mayor y menor con su humor tierno y delirante.

Cecilia Blanco